Clár

Solas agus dorchadas

Sa lá, tugann an **ghrian** solas don **Domhan** agus tig linn gach aon rud atá ag tarlú thart orainn a fheiceáil.

San oíche nuair a théann an ghrian faoi, éiríonn an domhan dorcha. Bíonn solas de dhíth orainn sa dorchadas sa dóigh go dtig linn feiceáil.

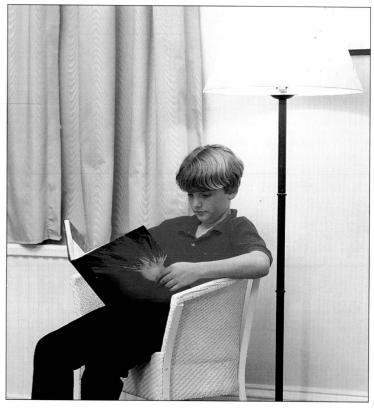

 SMAOINIGH AIR!

An mbíonn tú ag súgradh nó ag léamh sna tráthnónta dorcha?
Cad é a thiocfadh leat a dhéanamh sa tráthnóna gan solas agat?

Faighimid solas ó shoilse sráide agus ó shoilse carranna nuair a bhíonn sé dorcha.

An dtig leat smaoineamh ar dhóigheanna eile le solas a fháil?

 BAIN TRIAIL AS!

San oíche, druid na cuirtíní agus múch an solas i do sheomra leapa.
An bhfuil solas ar bith ag teacht isteach? Cad é a thig leat a fheiceáil?

Las an solas. Cad é a thig leat a fheiceáil anois?

Solas an lae

Tá an ghrian cosúil le liathróid ollmhór de ghás te atá ar lasadh. Tá an Domhan i bhfad níos lú ná an ghrian. Tá an ghrian i bhfad ón Domhan, ach tugann sí teas agus solas dúinn.

Casann an Domhan thart gach lá. Sa lá bíonn an chuid seo againne den Domhan faoin ghrian. San oíche bíonn sí ag amharc ar shiúl ón ghrian.

BAIN TRIAIL AS!

Faigh liathróid agus lig ort gurb é an Domhan atá inti. Gearr amach pictiúr díot féin, agus greamaigh ar an liathróid é. Coinnigh an liathróid in airde sa dóigh go mbeidh solas na gréine ar thaobh amháin di. Cas an liathróid thart go mall - amharc ort féin ag bogadh ón lá go dtí an oíche.

8

☀ BÍ CÚRAMACH!

Ná hamharc go díreach ar an ghrian, mar tig léi damáiste a dhéanamh do do shúile.

Tá an ghrian in airde agus tá an lá ann. Cad é atá na daoine a úsáideann na rudaí seo a dhéanamh inniu?
Cad é a dhéanann tusa i rith an lae?

💡 SMAOINIGH AIR!

Cad chuige, dar leat, a mbíonn an chuid is mó de na daoine agus de na hainmhithe múscailte sa lá agus ina gcodladh san oíche? An bhfuil a fhios agat aon ainmhí a bhíonn múscailte san oíche?

9

Dorchadas

San oíche tig linn an **ghealach** a fheiceáil ag soilsiú sa spéir.

Liathróid dhorcha fhuar atá sa ghealach, cosúil leis an domhan. Soilsíonn an ghrian ar an ghealach agus bíonn cuma gheal uirthi.

💡 SMAOINIGH AIR!

Ar oíche scamallach, ní thig linn solas ar bith a fheiceáil ón ghealach. Bíonn sé an-dorcha. Cad é a tharlaíonn do sholas na gréine ar lá scamallach?

10

Nuair a dhruideann tú do shúile, coinníonn caipíní do shúl an solas amach. Druid do shúile. An dtig leat rud ar bith a fheiceáil?

BAIN TRIAIL AS!

Déan coirnéal an-dorcha i do sheomra leapa. Coinnigh amach a oiread solais agus a thig leat.

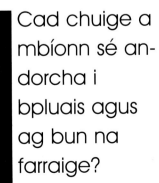

Cad chuige a mbíonn sé an-dorcha i bpluais agus ag bun na farraige?

AMHARC SIAR

Amharc siar ar leathanach 7. Cén dóigh a ndéanaimid solas sa dorchadas?

11

Scáileanna

An bhfeiceann tú an dóigh a dtagann **gathanna** solais ón ghrian ina línte díreacha?

Ní thig le gathanna solais lúbadh, dul thart coirnéil nó dul trí rud soladach mar tusa!

 BAIN TRIAIL AS!

Ar lá grianmhar, seas le do dhroim leis an ghrian. Ní thig leis an ghrian soilsiú trí do chorp agus déanann tú **scáil** dhorcha. Bog thart agus amharc ar do scáil ag déanamh na rudaí céanna a dhéanann tú féin.

12

Soilsíonn solas ó choinneal amach thart timpeall uirthi. Amharc ar scáileanna na mugaí ag titim i ngach treo.

Ní shoilsíonn an solas ó thóirse ach san áit a mbíonn an tóirse dírithe. Cad é a tharla do scáileanna na mugaí anois?

☝ BAIN TRIAIL AS!

Déan seó puipéad. Gearr amach cruthanna mar seo as cairtchlár agus greamaigh ar bhata iad. Soilsigh solas geal ar bhalla agus cuir na cruthanna os comhair an tsolais. Bog thart iad agus tosaigh do sheó!

13

Ag feiceáil

Tig linn feiceáil nuair a bhíonn solas ag soilsiú ar na rudaí thart orainn agus isteach inár súile oscailte. Tig linn cruthanna agus dathanna a fheiceáil, agus tig linn a rá cé chomh fada ar shiúl agus atá rudaí.

Tá Pól ag siúl chuig an tábla.
Cad é a thig leis a fheiceáil thart air?

💡 SMAOINIGH AIR!

Cén dóigh a dtig le Pól dul go sábháilte chuig an tábla agus a shúile druidte? Cad chuige a bhfuil sé i bhfad níos deacra dó?

Is é an seall an ciorcal daite i do shúl. Tugaimid an **mac imrisc** ar an chiorcal dhubh; is poll sa **seall** atá ann. Feiceann tú nuair a shoilsíonn solas trí do mhac imrisc isteach i do shúil.

Tig leis an seall an mac imrisc a dhéanamh níos mó. Ligeann sé seo níos mó solais isteach. Má dhéanann sé an mac imrisc níos lú, coinníonn sé solas amach.

mac imrisc

seall

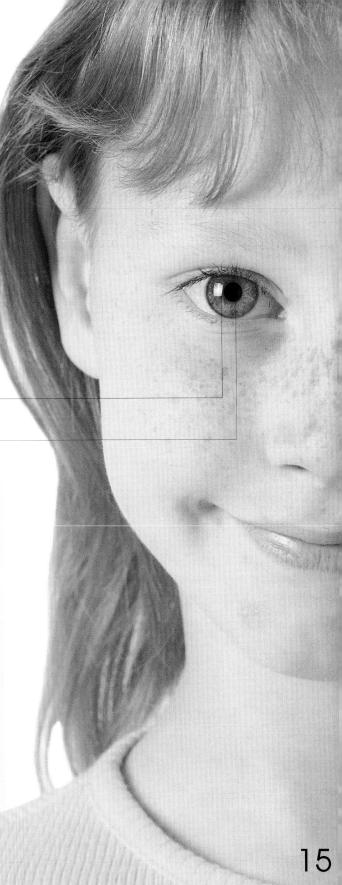

 BAIN TRIAIL AS!

Amharc amach ar lá grianmhar. Anois amharc ar do mhac imrisc i scáthán. Tabhair faoi deara cé chomh mór agus atá sé.

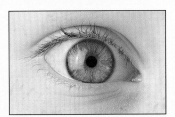 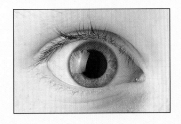

Amharc isteach in áit dhorcha tamall. Amharc ar do mhac imrisc: an bhfuil sé níos lú nó níos mó? Osclaíonn sé níos mó lena oiread solais agus is féidir a ligean isteach.

Do scáil

Nuair a amharcann tú isteach i scáthán, tig leat do **scáil** a fheiceáil.

Cruinnigh roinnt rudaí cosúil leis na cinn ar an leathanach seo. Amharc orthu agus mothaigh iad.

An bhfuil siad lonrach nó neamhlonrach? An mothaíonn siad garbh nó mín? An dtig leat do scáil a fheiceáil nuair a amharcann tú orthu? Cé acu is cothroime? Cé acu is lonraí? Cé acu is fearr a thaispeánann scáil d'aghaidhe?

SMAOINIGH AIR!

Scríobh d'ainm agus amharc ar a scáil i scáthán. Cad é atá difriúil faoin scáil? An dtarlaíonn an rud céanna le do scáilse?

16

Tig leat scáileanna soiléire a fheiceáil in uisce socair cothrom.

Cuireann an ghaoth tonnta beaga ar an uisce agus milleann sí na scáileanna.

BAIN TRIAIL AS!

Nuair a bhíonn an ghrian ag soilsiú i ndiaidh fearthainne, aimsigh linn uisce. An dtig leat scáil shoiléir díot féin a fheiceáil san uisce? Cuir tonnta beaga san uisce le do lámha. Cad é a tharlaíonn do do scáil anois?

17

Ag soilsiú trí rudaí

Tarlaíonn rudaí éagsúla don solas nuair a shoilsíonn sé ar leabhar, ar fhuinneog agus ar chuirtín lín, mar tá siad uile déanta as ábhair dhifriúla.

Tá leabhar **teimhneach.** Ní thig leat feiceáil tríd agus ní thig le solas soilsiú tríd.

Tá gloine **trédhearcach.** Tig leat feiceáil tríthi agus soilsíonn solas tríthi.

Tá an cuirtín lín seo **tréshoilseach.** Ligeann sé do roinnt solais soilsiú tríd.

AMHARC SIAR

Amharc siar ar leathanach 12 agus faigh rud éigin teimhneach. Amharc siar ar leathanach 10 agus faigh rud éigin tréshoilseach.

Tá na rudaí seo uile déanta as ábhair éagsúla.

![hand icon] **BAIN TRIAIL AS!**

Cruinnigh roinnt rudaí mar na cinn sa phictiúr.

Ardaigh gach ceann acu suas chuig an solas. Cé acu a dtig leat amharc tríothu?

Soilsigh tóirse orthu. Cé acu a soilsíonn an solas tríothu? Cé acu a chaitheann scáil?

Sórtáil iad ina 3 ghrúpa - rudaí teimhneacha, rudaí trédhearcacha agus rudaí tréshoilseacha.

Níos mó agus níos lú

Tugaimid **lionsa** ar phíosa cuartha d'ábhar trédhearcach - gloine nó plaisteach, mar shampla. Tig le lionsaí cuma níos mó nó níos lú, níos cóngaraí nó níos faide ar shiúl a chur ar rudaí.

Bíonn lionsaí i n**déshúiligh**, i **micreascóp** agus i n**gloine formhéadaithe**.

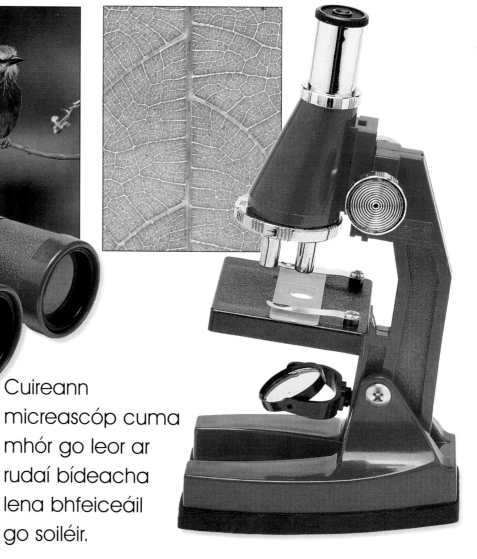

Má amharcann tú tríd an taobh caol de dhéshúiligh, bíonn cuma níos cóngaraí ar rudaí. Má amharcann tú tríd an taobh leathan, bíonn cuma níos faide ar shiúl ar rudaí.

Cuireann micreascóp cuma mhór go leor ar rudaí bídeacha lena bhfeiceáil go soiléir.

Cuireann gloine formhéadaithe cuma níos mó ar rudaí beaga.

BAIN TRIAIL AS!

Cruinnigh roinnt rudaí beaga agus amharc orthu trí ghloine formhéadaithe. Amharc ar do chraiceann, ar do chuid ingne agus ar do chuid gruaige fosta.

Tá lionsaí speisialta istigh inár súile le go dtig linn rudaí a fheiceáil go soiléir. Mura mbíonn do lionsaí súl ag obair i gceart, bíonn ort spéaclaí nó lionsaí tadhaill a chaitheamh.

Bíonn lionsaí i spéaclaí a chuidíonn le daoine rudaí a fheiceáil níos soiléire. Oibríonn lionsaí tadhaill an dóigh chéanna ach cuireann tú díreach ar do shúil iad.

Grianghraif

Is furasta **grianghraf** a ghlacadh. Ar dtús, cuir scannán isteach i gceamara.

Ansin, amharc tríd an súilphíosa leis an phictiúr ba mhaith leat a fháil agus brúigh síos an cnaipe. Osclaíonn fuinneog bheag go gasta le solas a ligean trí lionsa an cheamara go dtí an scannán. Glacann sé seo an grianghraf.

Caithfidh tú prionta a fháil den ghrianghraf a ghlac tú.

👁 AMHARC SIAR

Amharc siar ar leathanach 15. Cén dóigh a sroicheann an solas na lionsaí i do shúile?

Le scannán beo a dhéanamh, caithfidh tú sraith pictiúr socair cosúil leo seo a ghlacadh go hiontach gasta. Bíonn ceamara speisialta de dhíth.

Nuair a thaispeántar na pictiúir go gasta i ndiaidh a chéile ar an scáileán, feiceann tú an duine ag bogadh.

BAIN TRIAIL AS!

Fill píosa páipéir thanaí ina dhá leath. Cóipeáil an aghaidh thuirseach ar an leath ag bun. Tarraing an aghaidh ar an leath ag barr ach cuir súile oscailte léi. Bog an coirnéal ag bun suas agus anuas go gasta - amharc ar na súile ag oscailt agus ag druidim!

Tuar ceatha

Tugaimid solas geal ar an solas ón ghrian mar bíonn cuma gheal air.

Nuair a bhíonn sé ag cur agus nuair a shoilsíonn solas na gréine trí bhraonta uisce, scoilteann an solas geal ina sheacht ndath éagsúla sa **tuar ceatha**: vialait, dúghorm, bánghorm, glas, buí, oráiste agus dearg.

 **BAIN TRIAIL AS!**

Séid roinnt bolgóidí i solas na gréine. An dtig leat tuair cheatha a fheiceáil sna bolgóidí?

24

Is féidir dathanna an tuair cheatha a mheascadh le chéile le bán a dhéanamh!

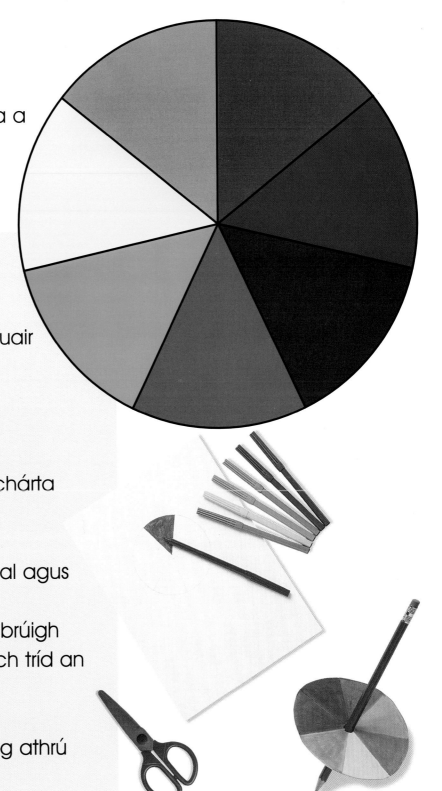

 BAIN TRIAIL AS!

Beidh siad seo de dhíth ort:
- cárta bán
- rianpháipéar
- pinn dhaite le dathanna an tuair cheatha
- peann luaidhe
- siosúr

Cóipeáil an ciorcal seo ar an chárta bhán.

Dathaigh na codanna.

Déan na dathanna chomh geal agus a thig leat.

Gearr amach an ciorcal agus brúigh an peann luaidhe go cúramach tríd an lár.

Cas an cárta agus amharc ar dhathanna an tuair cheatha ag athrú go bán.

25

Domhan ildaite

Is áit ildaite é an domhan. An dtig leat dathanna uile an tuair cheatha a fheiceáil sa phictiúr seo? Cé na dathanna eile a thig leat a fheiceáil?

 SMAOINIGH AIR!

Samhlaigh cad é mar bheadh an domhan gan dathanna ar bith ann agus gach rud dubh agus bán!

Úsáideann ainmhithe, plandaí agus feithidí dathanna i ndóigheanna éagsúla.

Meallann bláthanna ildaite feithidí chucu. Insíonn na dathanna geala dóibh go bhfuil rud éigin blasta iontu.

Is deacair nathair nimhe ghlas a fheiceáil i bhfolach i measc na nduilleog.

Na stríoca buí agus dubha ar an fhrog seo, insíonn siad d'ainmhithe ocracha go bhfuil sé nimhiúil agus nach dtig leo é a ithe.

👁 AMHARC SIAR

Amharc siar tríd an leabhar seo. Cé na rudaí gorma, dearga nó buí a thig leat a aimsiú?

Focail úsáideacha

Déshúiligh Má bhíonn rudaí rófhada ar shiúl lena bhfeiceáil go soiléir, amharcann tú orthu trí phéire de dhéshúiligh. Cuireann déshúiligh cuma níos cóngaraí ar rudaí.

Domhan Is é an Domhan an áit a mairimid. Is liathróid mhór charraige ar a dtugaimid pláinéad é. Is ón ghrian a fhaigheann an Domhan a chuid teasa agus solais. Tá an Domhan ag bogadh go mall thart ar an ghrian. Casann an Domhan thart uair amháin gach lá.

Ga Is i línte díreacha a ghluaiseann solas. Tugaimid gathanna ar na línte díreacha seo.

Gealach Liathróid charraige a bhogann thart ar an domhan. Níl aon rud beo ar an ghealach. Ní thig linn í a fheiceáil ach nuair a bhíonn solas na gréine ag soilsiú uirthi.

Gloine Formhéadaithe Nuair a amharcann tú ar rudaí beaga trí ghloine formhéadaithe, bíonn cuma níos mó orthu.

Grian Liathróid ollmhór de gháis ar lasadh. Tugann sí teas agus solas don domhan.

Grianghraf Prionta de phictiúr a tógadh le ceamara. Téann solas trí lionsa an cheamara chuig scannán, a athraíonn leis an solas.

Lionsa Píosa cuartha d'ábhar trédhearcach nó tréshoilseach. Tig le

lionsa cuma níos mó nó níos lú a chur ar rudaí, ag brath ar a chruth.

Mac imrisc An chuid den tsúil a bhfuil cuma dhubh uirthi. Le fírinne, is poll é a dtig le solas soilsiú tríd.

Micreascóp Amharcann tú trí mhicreascóp le rudaí a fheiceáil atá róbheag lena bhfeiceáil go soiléir le do shúile amháin. Cuireann sé cuma i bhfad níos mó orthu.

Scáil (1) An dorchadas a fheiceann tú nuair nach dtig le solas soilsiú trí rud soladach mar tusa.

Scáil (2) Feiceann tú do scáil nuair a phreabann nó a fhrithchaitheann gathanna solais ó dhromchla lonrach - ó scáthán, mar shampla.

Seall An chuid dhaite de do shúil. Tá poll dubh ina lár ar a dtugaimid an mac imrisc. Tá smacht ag an seall ar mhéid an mhic imrisc.

Teimhneach Bíonn rud teimhneach nuair nach dtig le solas soilsiú tríd.

Trédhearcach Bíonn rud trédhearcach nuair a thig leis an solas uile soilsiú tríd.

Tréshoilseach Bíonn rud tréshoilseach nuair nach dtig ach le roinnt solais soilsiú tríd.

Tuar ceatha Bogha ildaite a fheicimid sa spéir nuair a bhíonn an ghrian ag soilsiú trí bhraonta uisce. Bíonn seacht ndath éagsúla ann.

Innéacs

Maidir leis an leabhar seo

Is dual do pháistí bheith ina n-eolaithe. Foghlaimíonn siad trí bheith ag mothú, ag tabhairt faoi deara, ag cur ceisteanna agus ag baint triail as rudaí ar a gconlán féin. Tá na leabhair sa tsraith *Seo an Eolaíocht* curtha in oiriúint don dóigh a mbíonn páistí ag foghlaim. Baintear úsáid as rudaí coitianta mar thúsphointí lena dtreorú chuig a thuilleadh foghlama. Tosaíonn *Solas agus dorchadas* le solas an lae, agus fiosraítear solas agus dathanna. Faightear topaic úr ar gach leathanach dúbailte - frithchaitheamh, mar shampla. Tugtar eolas, cuirtear ceisteanna agus moltar gníomhaíochtaí a spreagann páistí le rudaí a fháil amach dóibh féin agus le smaointe úra a fhorbairt. Coinnigh súil amach do na painéil seo síos tríd an leabhar:

BAIN TRIAIL AS! - gníomhaíocht shimplí, ag úsáid ábhair shábháilte, a chruthaíonn nó a fhiosraíonn pointe éigin.
SMAOINIGH AIR! - ceist a spreagtar ag an eolas ar an leathanach ach a dhíríonn aird an léitheora ar réimsí nach gclúdaítear sa leabhar.
AMHARC SIAR - gníomhaíocht chrostagartha a nascann téamaí agus fíorais síos tríd an leabhar.

Spreag na páistí le bheith fiosrach faoin domhan a bhfuil siad cleachta leis. Cuir rudaí ar a súile dóibh, cuir ceisteanna agus bíodh spraoi agaibh ag déanamh fionnachtana eolaíochta i gcuideachta a chéile.